Le mystère Ophir

© Hachette Livre, 2008, pour la présente édition.
Novélisation : Sophie Marvaud
Conception graphique du roman : François Hacker

Hachette Livre, 43, quai de Grenelle, 75015 Paris.

Le mystère Ophir

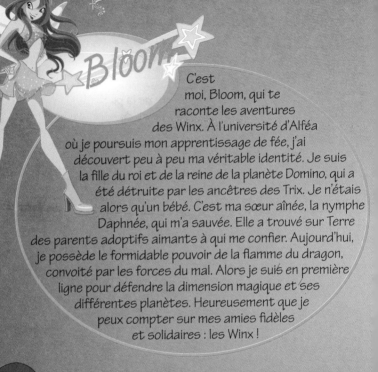

Bloom

C'est moi, Bloom, qui te raconte les aventures des Winx. À l'université d'Alféa où je poursuis mon apprentissage de fée, j'ai découvert peu à peu ma véritable identité. Je suis la fille du roi et de la reine de la planète Domino, qui a été détruite par les ancêtres des Trix. Je n'étais alors qu'un bébé. C'est ma sœur aînée, la nymphe Daphnée, qui m'a sauvée. Elle a trouvé sur Terre des parents adoptifs aimants à qui me confier. Aujourd'hui, je possède le formidable pouvoir de la flamme du dragon, convoité par les forces du mal. Alors je suis en première ligne pour défendre la dimension magique et ses différentes planètes. Heureusement que je peux compter sur mes amies fidèles et solidaires : les Winx !

La mini-fée Lockette est ma connexion parfaite. Chargée de me protéger, elle a une totale confiance en moi, ce qui m'aide à devenir meilleure.

Kiko est mon lapin apprivoisé. Il n'a aucun pouvoir magique et pourtant, je l'adore.

Stella

Originaire de la planète Solaria,
la fée de la lune et du soleil a une très
grande confiance en elle. Un peu trop,
parfois ! Et puis, elle attache tant
d'importance à son apparence…
Heureusement qu'elle est aussi
vive que drôle .

Amore est sa connexion
parfaite.

fJora

Fée de la nature, douce et
généreuse, elle est à l'écoute des
plantes et elle sait leur parler.
Cela nous sort de nombreux mauvais
pas ! Dommage qu'elle manque
parfois de confiance en elle.

Chatta
est sa connexion
parfaite.

Tecna

Digit est sa connexion parfaite.

Directe et droite, elle est d'une grande débrouillardise. Normal, elle est la fée des sciences et des inventions. Elle maîtrise toutes les technologies, auxquelles elle ajoute un zest de magie.

Tune est sa connexion parfaite.

musa

Orpheline, la fée de la musique est très sensible et pleine d'imagination. Face au danger, sa musique devient parfois une arme !

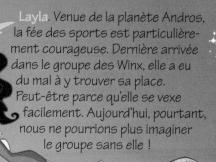

Layla. Venue de la planète Andros, la fée des sports est particulièrement courageuse. Dernière arrivée dans le groupe des Winx, elle a eu du mal à y trouver sa place. Peut-être parce qu'elle se vexe facilement. Aujourd'hui, pourtant, nous ne pourrions plus imaginer le groupe sans elle !

Piff

est sa connexion parfaite.

L'université des fées est dirigée par l'adorable **Mme Faragonda**

Rigide et autoritaire, **Griselda** est la surveillante de l'école.

Au royaume de Magix, un lieu hors du temps et de l'espace, la magie est quelque chose de normal. En plus d'Alféa, d'autres écoles s'y trouvent : la Fontaine rouge des Spécialistes, la Tour Nuage des Sorcières, le cours de sorcellerie Bêta.

Saladin est le directeur de la Fontaine Rouge. Sa sagesse est comparable à celle de Mme Faragonda.

Ah ! les garçons de la Fontaine Rouge… Sans eux, la vie serait beaucoup moins intéressante. Nous craquons pour eux parce qu'ils sont charmants, généreux, dynamiques… Dommage qu'ils aient tout le temps besoin de se sentir importants et plus forts que les autres.

Prince Sky. Droit et honnête, l'héritier du royaume d'Éraklyon sait mieux que personne recréer un esprit d'équipe chez les garçons. Son amour me donne confiance et m'aide à triompher des pires obstacles.

Brandon est aussi charmant que dynamique et spontané. Pas étonnant que Stella craque pour lui.

Riven apprend à maîtriser son impulsivité et son orgueil. Il voit beaucoup moins la vie en noir depuis que Musa s'intéresse à lui.

Timmy est un jeune homme astucieux qui se passionne pour la technique. Avec Tecna, forcément, ils se comprennent au quart de tour.

Hélia est un artiste plein de sensibilité. Flora n'en revient pas, qu'un garçon pareil puisse exister.

Convoité par les forces du mal, **Magix est le lieu d'affrontements terribles.**

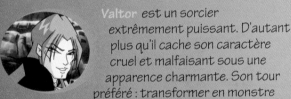

Valtor est un sorcier extrêmement puissant. D'autant plus qu'il cache son caractère cruel et malfaisant sous une apparence charmante. Son tour préféré : transformer en monstre toute personne qui s'oppose à lui. Ensuite, soit le monstre sombre dans le désespoir, soit il devient son esclave.

Les Trix ont été élèves à la Tour Nuage.
Mais toujours à la recherche de plus de
pouvoirs, elles ont fini par arrêter leurs
études de sorcellerie. Elles préfèrent
s'allier avec les forces du mal. Elles nous
détestent, nous les Winx.

Icy, qui est à la fois l'aînée des
Trix et leur chef, a pour armes
préférées les cristaux de glace,
le blizzard, les icebergs.

Stormy sait déclencher
tornades et tempêtes.

Darcy utilise des sortilèges
mentaux : elle crée des illusions
de toutes sortes qui peuvent
rendre fou.

Mme Griffin est la directrice de la
Tour Nuage, l'école des sorcières.
Mme Faragonda semble lui faire
confiance. Mais je me demande
si ce n'est pas une erreur…

Résumé des épisodes précédents

Sur l'île de Pyros, aidée par la prêtresse Maya et le petit dragon Buddy, j'ai appris à me battre comme un dragon. Et j'ai enfin acquis mon Enchantix !

Pendant ce temps, grâce à son obstination, Timmy a réussi à retrouver Tecna, prisonnière d'Oméga. Mes amis ont pu la ramener saine et sauve à Alféa.

Dès mon retour de Pyros, le club des Winx est reconstitué ! Seule ombre au tableau : selon Mme Faragonda, mon Enchantix serait incomplet...

Chapitre 1

La décision de Layla

Il pleut à torrent. Depuis que Valtor s'empare un à un des sortilèges de la dimension magique, le temps se détraque partout. Pourtant, pour fêter la reconstitution du club des Winx, mes amies et moi avons décidé d'aller faire les magasins à Magix.

Un peu plus tard, pour nous reposer de nos courses, nous nous arrêtons à la terrasse d'un café. La pluie battante nous oblige à nous réfugier sous un parasol.

Je m'assois à côté de Musa. J'ai bien remarqué qu'elle avait l'air triste. Même les imperméables à pois multicolores de Stella ne l'ont pas fait sourire.

— Musa, qu'est-ce qui ne va pas ?

Notre amie musicienne pousse un gros soupir.

— Je crois que je vais me séparer de Riven.

— Pourquoi ? demande Stella. Vous avez l'air très complices.

— Il veut toujours avoir raison, explique Musa. Il n'écoute même pas ce que je lui dis. On dirait qu'il méprise les filles et qu'il les croit moins intelligentes que les garçons.

Je serre l'épaule de mon amie :

— Je comprends que ça t'énerve ! Mais quelle que soit ta décision, ne te précipite pas.

Layla intervient :

— De toute façon, les garçons sont tous nuls ! Regardez-moi : pas de petit ami, pas de problème.

— On ne peut pas généraliser comme ça, proteste Flora. J'ai l'impression que tu es en colère contre les hommes en général…

— Bien sûr ! C'est à cause de ce mariage arrangé que mes parents veulent organiser. Tu te rends compte ? Ils m'obligent à épouser quelqu'un que je ne connais même pas !

— Mais tu n'accepteras pas ?

— Jamais ! Et j'ai décidé de supprimer de ma vie tous les

garçons. Pas d'amour, ni même d'amitié.

Je fais la moue.

— C'est un peu radical comme décision, Layla...

— Et si on demandait à un garçon ce qu'il pense de tout

ça ? s'exclame Stella. Ça tombe bien, on en a un sous la main.

Bondissant de son siège, elle file jusqu'à un arbre et ramène vers nous celui qui se cachait derrière.

— Ce serait dommage d'oublier les beaux garçons, Layla. Celui-ci te dévore des yeux depuis un quart d'heure.

Le grand jeune homme en djellaba s'incline vers nous. Je remarque sa fine mèche de cheveux dressée sur son front ainsi que sa très longue natte dans le dos.

— Je suis désolé. J'ai cru recon-
naître un groupe d'amies…

— Eh bien, tu t'es trompé.
Alors va-t-en ! Je ne supporte pas
les espions !

Layla le fixe d'un air féroce
impressionnant. Elle ne semble

même pas remarquer que, pour un espion, il a plutôt l'air sympathique…

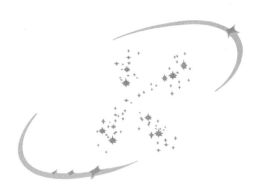

Chapitre 2

Les Étoiles
d'Eau

Le lendemain, mes amies et moi profitons d'une éclaircie dans le parc d'Alféa. Stella, Musa et Flora s'unissent contre moi pour tenter de combattre mon pouvoir du dragon.

Lockette s'agite autour de moi,

de toute la force de ses petites ailes. Dès que la bataille se termine (par ma victoire), je me tourne vers elle :

— Ne t'inquiète pas, Lockette, on ne se battait pas pour de vrai !

— Valtor et Bloom tirent leur force de la flamme du dragon, lui rappelle Musa. Si on arrive à vaincre le pouvoir de Bloom, on saura comment vaincre Valtor.

— Les filles, j'ai trouvé !

C'est Tecna qui accourt, un livre à la main. Elle l'ouvre devant nous et lit :

— « Quand naquit le grand dragon de feu, une force

contraire tout aussi puissante fut créée. Celle des Étoiles d'Eau... »

La mini-fée Amore vole au-dessus du livre, l'air perplexe.

— Mais les Étoiles d'Eau n'existent plus !

— Dans cette dimension, non. « Le feu du dragon et les Étoiles d'Eau ensemble provoquaient un terrible chaos. Alors les magiciens de l'Antiquité ont réuni leurs forces pour emporter les Étoiles d'Eau dans une autre dimension, celle du Royaume Doré. »

Ainsi, il existerait quelque part une force opposée à la flamme du dragon...

— C'est fascinant ! dis-je. Où se trouve-t-il, ce Royaume Doré ?

— On y accède par un portail au pied de la Tour Rouge.

— Celle qui se trouve dans la

Forêt des Brouillards ? De l'autre côté des dangereuses montagnes de la Grande Barrière ?

— Exactement.

— Pas de problème ! s'écrie Stella en virevoltant. Les garçons vont nous y conduire d'un coup de vaisseau spatial !

Un peu plus tard, en effet, Timmy, Brandon et Sky nous prennent à leur bord. Riven et Hélia sont retenus par des révisions d'examens. Nous les Winx sommes au grand complet, accompagnées de nos connexions parfaites.

Malgré les inévitables secousses au-dessus des montagnes, le voyage se déroule sans problème. Jusqu'à ce que le navi-transmetteur se mette à faire des caprices. Au poste de pilotage, Timmy se tourne vers nous.

— Ces secousses ont dû le dérégler. J'en ai un de secours dans la soute. Qui veut bien aller le chercher ?

— J'y vais, se propose aussitôt Layla, qui n'aime pas rester inactive.

Quelques minutes plus tard, elle revient tenant, d'une main le navi-transmetteur, de l'autre, un garçon menotté.

— Regardez ce que j'ai trouvé dans la soute : un passager clandestin ! J'ai senti sa présence malgré sa djellaba d'invisibilité et j'ai réussi à le capturer.

Je reconnais alors sa mèche fine sur le front et sa natte dans le dos.

— Encore lui !

— Qui est-ce ? demande Sky, en fronçant les sourcils.

— Un garçon qui nous

espionnait quand on est allées se promener en ville.

— Je m'appelle Ophir, précise calmement le prisonnier de Layla. Et je suis magicien.

— Un magicien… C'est sûrement un espion de Valtor, dit celle-ci.

— Non, pas du tout, proteste-t-il. Je suis de votre côté.

— Je suis désolé d'interrompre une conversation aussi amicale, intervient Timmy. Mais nous allons passer la Grande Barrière. Si certains veulent donner un coup de fil, c'est le moment... Bientôt, les communications seront coupées.

— Remettons ce garçon dans la soute, suggère Musa. Les menottes qu'il a aux poignets l'empêcheront d'utiliser la magie.

Flora s'est déjà précipitée pour téléphoner à son amoureux.

— Salut Hélia, c'est moi. Nous sommes en route pour la Tour Rouge et nous allons bientôt atterrir. Tout le monde te dit bonjour.

Et elle promène son écran dans notre direction, tandis que Musa tient fermement Ophir par le bras. Puis Layla conduit le garçon dans la soute.

Chapitre 3

Dans la Forêt des Brouillards

Layla revient s'asseoir avec nous et accroche sa ceinture pour l'atterrissage. Elle grommelle :

— Je me demande si ce garçon ne m'a pas ensorcelée ou quelque chose comme ça. On a commencé à parler de musique et on a exactement les mêmes goûts !

Tecna suggère une autre hypothèse :

— Peut-être que vous avez réellement les mêmes goûts en matière de musique ?

L'atterrissage est plutôt acrobatique. Mais au moins, nous sommes arrivés dans la Forêt des Brouillards. Partout autour de nous, des arbres et des herbes gigantesques se perdent dans la brume.

Heureusement, les mini-fées connaissent le chemin de la Tour Rouge. Et le brouillard ne les gêne pas car elles se laissent guider par leur instinct.

Soudain, un monstre qui possède une dizaine de bras munis chacun d'un poing et d'un œil surgit !

Derrière lui, s'avancent d'autres créatures du même genre !

— Allez les Winx !

Nous nous transformons en Enchantix et les garçons sortent

leur épée. Tous, nous combattons avec énergie. Ophir tend ses poignets menottés vers Layla.

— S'il te plaît, libère-moi. Je vais vous donner un coup de main.

— Il n'en est pas question !

L'un des monstres s'approche et ouvre grand sa gueule au-dessus de la tête de la fée.

Heureusement, Ophir fait éclater ses menottes. D'un sortilège bien visé, il détruit la bête.

— Tu m'as sauvé la vie, murmure Layla toute surprise.

— Je t'avais bien dit que j'étais de votre côté.

Elle n'a pas le temps de répondre. Non loin d'eux, Musa s'effondre, touchée par le poing d'un monstre. Vite, Layla et moi lui envoyons nos pouvoirs d'Enchantix, tandis qu'Ophir prend délicatement Musa dans ses bras.

— Repose-la tout de suite ! ordonne quelqu'un derrière lui.

Il se retourne.

— Qui es-tu, toi ? Elle a besoin d'aide !

— Je ne le dirai pas deux fois. Pose immédiatement ma petite amie par terre.

Ophir repose délicatement Musa, tandis que Riven sort son épée.

Il se jette sur Ophir qui l'esquive de justesse avant de se

jeter sur ses jambes. Les deux garçons roulent l'un sur l'autre et se battent avec une force égale.

— Riven ! Ophir ! Arrêtez tout de suite ! crie Flora.

Mais les garçons ne l'écoutent pas. Heureusement, les monstres sont bientôt tous vaincus. Tandis que je guéris Musa avec de la poussière de fée, Sky et Brandon se précipitent pour séparer les deux rivaux.

— Qu'est-ce qui te prend, Riven ? Ophir est avec nous ! Et d'abord, qu'est-ce que tu fais là ?

Je croyais que tu avais des révisions en retard…

— Dès qu'Hélia m'a montré le message de Flora, j'ai foncé sur ma moto volante. Ce type osait tenir la main de ma petite amie. Et maintenant, il la prend dans ses bras !

— Tu as mal vu mon message, Riven, proteste Flora.

— Je l'ai prise dans mes bras parce qu'elle était blessée, explique calmement Ophir. Moi, c'est Layla que je…

Il se tait brusquement et devient rouge comme une

tomate. Quant à Musa, elle sourit à Riven.

— Tu tiens à moi, alors ?
— Évidemment !

Chapitre 4

Les Quatre portes

Les mini-fées nous conduisent jusqu'à la Tour Rouge, un pic rocheux sculpté en forme de visage. Puis elles retournent se réfugier dans le vaisseau spatial car les monstres les effraient.

— Et voilà le fameux portail,

s'exclame Flora en découvrant la porte sculptée au pied de la roche. Comment s'ouvre-t-il ?

Elle tend la main vers une poignée à la forme étrange. Lorsqu'elle la tourne, la porte semble s'effacer. Une autre porte apparaît derrière, avec une poignée différente. Cette fois, il faut la faire glisser sur le côté. Alors surgit une troisième porte, couverte de signes mystérieux.

Tecna consulte son ordinateur.

— Cette écriture date de l'Antiquité de Magix.

Mais nous n'avons pas le temps de l'étudier. Comme à un signal, des centaures, mi-hommes, mi-chevaux, surgissent de partout. Ils nous menacent avec leurs tridents pour nous empêcher d'aller plus loin.

Tous ensemble, nous résistons avec ardeur et ils finissent par s'enfuir.

Layla s'approche d'Ophir :

— Ta technique de combat est particulièrement efficace.

— Merci, Layla. J'ai grandi chez les Magiciens d'ombre et je n'avais aucun camarade avec qui jouer. Du coup, j'ai appris très jeune leurs techniques de combat.

— C'est curieux. Nous avons eu le même genre d'enfance, toi et moi. J'étais très seule dans le palais de mes parents…

Nous nous rassemblons devant

les caractères antiques pour les examiner. Mes amis semblent perplexes. Mais à ma grande surprise, je m'aperçois que je comprends cette langue ! Je lis à voix haute :

— « Seules les créatures magiques au cœur noble et à l'âme pure sont autorisées à entrer. »

Stella est un peu vexée :

— Si la porte reste fermée, c'est que nous ne sommes pas assez nobles et purs !

Musa réfléchit :

— Si nous étions minuscules, nous pourrions entrer. Quand

aurons-nous le pouvoir de rétrécir ?

— Ça me rappelle une leçon de Mme Faragonda… Elle nous avait parlé de modestie, vous vous souvenez ? reprend Tecna.

— Tout le monde porte en soi une part d'obscurité, renchérit Timmy. Comme la vanité, l'orgueil…

Je poursuis :

— En répandant sur nous de la poussière de fée, nous avons une chance d'éliminer cette part d'ombre en nous…

— Et donc de rétrécir ! conclut Musa.

— Tout ça est bien compliqué, soupire Flora. Mais on peut toujours essayer.

Aussitôt, nous secouons nos ailes.

— Je deviens toute petite !

— Ça marche !

— Incroyable !

Mes amies les Winx ont maintenant la taille des mini-fées. À l'emplacement d'un caractère, elles remarquent alors une porte minuscule, qu'elles ouvrent sans effort.

— Et voilà, on peut entrer ! dit Tecna.

Mes amies se retournent.

— Bloom ! Que t'arrive-t-il ?

— Je ne sais pas… Je n'ai pas rétréci. Mme Faragonda m'avait prévenue que mon Enchantix serait incomplet. Allez récupérer les Étoiles d'Eau. C'est le seul moyen de vaincre Valtor. Je reste dehors avec les garçons.

— Bonne chance, Musa ! lance Riven. J'attends avec impatience ton retour.

Brandon lance un clin d'œil à la toute petite Stella et Ophir sourit timidement à la toute petite Layla.

J'ai le cœur serré de ne pas participer à cette aventure. Mais Sky le remarque et il me sourit tendrement. Ensemble, nous regardons nos amies entrer une à une par la minuscule porte gravée.

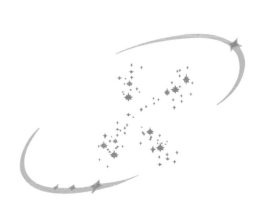

Chapitre 5

Ce que Bloom ne sait pas

Dès que Musa, Layla, Tecna, Flora et Stella ont franchi la porte, celle-ci s'efface derrière elles. Dans l'obscurité, elles sentent alors quelque chose de très étrange, une vague de chaleur douce.

— C'est comme une onde céleste dont l'énergie m'enveloppe... dit Stella.

— J'ai l'impression de flotter dans les airs... s'étonne Flora.

— Ce n'est pas une impression, dit Tecna. Nous sommes en train de flotter.

Leurs yeux s'habituent à l'obscurité. Portées par une brise légère, elles survolent un lac immense et rejoignent un troupeau de nuages.

— Hé, les filles, s'exclame

Musa, ces nuages sont épais et moelleux !

— Ils sont souples comme des trampolines, fait remarquer Layla.

C'est tellement amusant de sauter dedans qu'elles s'en donnent à cœur joie un bon moment. Ensuite, elles atter-rissent dans une salle gigan-tesque. De tous côtés, des colonnes en or se dressent vers le ciel étoilé.

Le son d'une trompette attire leur attention. Derrière elles, un tout petit elfe souffle dans son instrument.

— Suivez-moi, dit-il. Je vais vous faire visiter la Tour Rouge. Ensuite, les anciens vous recevront.

Il les dirige entre les colonnes et s'arrête pour leur montrer les objets les plus intéressants :

— À votre gauche, vous pouvez admirer la poussière de la première étoile à avoir traversé un ciel nocturne... À votre droite, un coffret en or contenant le tout premier sortilège jamais jeté...

Intriguée, Musa tend la main vers le coffret. L'elfe se retourne.

— Je ne l'ouvrirais pas si j'étais vous !

Les Winx restent bouche bée.

— Pour finir, un portrait de notre chère Arcadia, la première fée à avoir battu des ailes dans la dimension magique... Ah !

Le Conseil des Anciens se réunit maintenant, nous dit l'elfe.

— Pour étudier le cas des Winx, dit un centaure qui vient d'arriver...

— Il est temps que nous les entendions, renchérit un hibou avec une longue chevelure blanche.

Alors apparaît une créature translucide et bleutée qui ressemble trait pour trait au portrait. C'est Arcadia !

Elle sourit avec chaleur.

— Bonjour. Je déclare ouvert le Conseil des Anciens.

— Et ce n'est pas une blague, affirme le centaure qui a pourtant l'air de plaisanter. Nous existons depuis l'origine de la dimension magique !

Stella est désignée par Arcadia pour expliquer la raison de leur venue.

— Nous sommes les Winx, en provenance de Magix. Nous devons mener une grande bataille contre le sorcier Valtor.

— Nous avons entendu parler de lui, acquiesce le centaure.

— Ses pouvoirs proviennent du feu du dragon, exactement comme ceux de notre amie Bloom. Nous pensons que les Étoiles d'Eau pourraient nous aider à anéantir Valtor... Et à sauver la dimension magique !

— Les Étoiles d'Eau ont en effet une puissance opposée à celle du feu du dragon, confirme le hibou.

— À quel point désirez-vous ces Étoiles d'Eau ? nous interroge Arcadia.

— Plus que tout au monde, intervient Musa. Vous comprenez, madame, si nous n'arrêtons pas ce sorcier, il va détruire toute la dimension magique.

— Ainsi, vous vous inquiétez plus du sort de l'univers que de votre propre sort ?

— Bien sûr. C'est le cas de tout le monde, non ? rétorque Stella avec espièglerie.

— C'est ce que nous verrons. Trois d'entre vous vont entrer dans le labyrinthe de cristal. Si elles trouvent la sortie, nous vous donnerons les Étoiles d'Eau.

— Et sinon ?

— Sinon elles resteront prisonnières pour toujours.

Chapitre 6

Surprise !

En attendant nos amies, les Spécialistes et moi retournons au vaisseau spatial. Il a souffert pendant l'atterrissage et nous aidons Timmy à faire les réparations nécessaires.

Ensuite, assis dans l'herbe

devant un lac immense, Sky et moi savourons le soleil. À cause de Valtor, le beau temps est devenu si rare à Magix !

Non loin de nous, Ophir est en train d'expliquer à Riven sa méthode de combat :

— Quand j'ai l'air de t'attaquer au-dessus de ta garde, c'est une illusion. En réalité, je t'attaque par en dessous !

Le jeune magicien se lance dans une démonstration. Il dirige son poing vers la poitrine de Riven qui lève la main pour l'arrêter. Mais Ophir a déjà dévié son geste et renversé Riven en lui attrapant les jambes. Ensuite, il lui tend la main pour l'aider à se relever.

— Tu vois, ton adversaire ne doit jamais anticiper un seul de tes coups.

Intéressé par ces explications, Riven se montre beau joueur.

— Tu es vraiment quelqu'un de bien, Ophir. Merci pour tes tuyaux.

En les regardant, je ne peux m'empêcher de penser à mes amies. Quelles épreuves les attendent à l'intérieur de la Tour Rouge ? Sauront-elles les surmonter ? J'aimerais tellement être auprès d'elles !

— Alors, Bloom, tu profites du soleil ? dit derrière moi une voix que je déteste.

— Icy !

Et profitant de l'effet de surprise, l'aînée des Trix lance vers nous un sortilège qui touche

Brandon, rebondit sur Riven et m'atteint aux jambes. Je tombe à la renverse sur le sol.

— Un vrai jeu d'enfants, ricane-t-elle en se penchant vers moi.

Timmy, Sky et Ophir sont

encore debout, et malgré la douleur, Brandon, Riven et moi nous relevons rapidement. Mais voilà que surgissent Darcy et Stormy.

Le jeune magicien doit faire face à une multitude de Darcy, sans savoir laquelle est la vraie, et lesquelles ne sont que des illusions.

Finalement, Icy me provoque en duel. En temps normal, avec mes nouveaux pouvoirs, je n'aurais fait d'elle qu'une bouchée. Mais elle lance sur moi l'un des nouveaux sortilèges dérobés par Valtor : de la poudre de corbeaux de la dimension obscure, qui m'affaiblit considé-rablement !

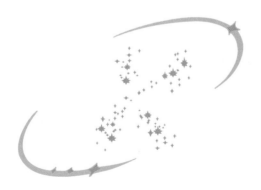

Chapitre 7

Ce que Bloom ne sait pas

Stella, Tecna et Musa se retrouvent à l'entrée du gigantesque labyrinthe de glace. Layla et Flora ont disparu. Courageusement, les trois fées s'avancent entre les parois bleutées et translucides, aux formes étranges.

— Ma tactique dans un labyrinthe, explique Stella, c'est
d'aller vers le plus joli.

— Moi, je pense qu'il faut
suivre son instinct, dit Musa.

— Je préfère raisonner avec
logique, assure Tecna. Si j'essaie
les chemins un par un, je débou-
cherai forcément sur la sortie.

— Chacune de nous doit sans
doute trouver sa propre route,
conclut Musa.

Stella salue gaîment ses amies,
comme pour les encourager.

— Bien. J'y vais. À tout à
l'heure !

Tecna fait exactement ce

qu'elle avait dit. Elle tourne à gauche, puis encore à gauche, afin d'éliminer le premier chemin. Ensuite, elle revient jusqu'au carrefour précédent et essaie le chemin de droite…

Un long moment plus tard,

elle arrive enfin devant la sortie du labyrinthe, où l'attend Arcadia.

— Bien joué, Tecna ! Tu dois maintenant choisir entre les deux portes qui sont face à toi. Derrière la deuxième, se trouve un univers constitué de logique, de chiffres et de raisonnements. C'est là que se trouvent les Étoiles d'Eau.

Tecna fait un pas dans cette direction, mais Arcadia l'arrête.

— Derrière la première porte,

t'attendent la joie et les senti-
ments... Timmy qui est amoureux de toi... tes amies les Winx
qui t'apprécient tellement... et
tous ceux qui aiment rire avec
toi et échanger des idées passion-
nantes. Attention, tu dois renoncer à l'un pour obtenir l'autre.

— Mais c'est cruel ! s'écrie
Tecna. Pour gagner les Étoiles
d'Eau, je dois renoncer à l'amitié, à l'amour, au bonheur ?

— Tu dois faire un choix. Et
jamais tu ne pourras revenir en
arrière.

Pauvre Tecna ! À travers la première porte, elle aperçoit Timmy

qui lui sourit. Elle s'approche, pose sa paume contre la porte. Il fait la même chose de l'autre côté.

— Adieu Timmy.

Tristement, elle se dirige vers la deuxième porte.

Un peu plus tard, Stella parvient à son tour devant la sortie. Cette fois, Arcadia a placé sur les portes deux miroirs. L'un reflète son visage actuel, pétillant et charmant, l'autre un visage sans expression et fade, sans aucune beauté.

— Tu peux garder ton beau

visage et perdre les Étoiles d'Eau. Ou bien gagner les Étoiles d'Eau et perdre ton beau visage…

— Alors, je n'ai pas le choix, soupire Stella.

D'un pas décidé, elle franchit la seconde porte.

Peu après, c'est au tour de Musa d'arriver devant Arcadia.

— Musa, derrière cette porte, le temps n'existe plus. Tout ce qui a existé un jour existe ici pour toujours.

À travers la porte de verre, Musa aperçoit sa mère, vivante, jeune et belle, en train de jouer du piano !

Musa tourne la tête vers Arcadia.

— C'est une illusion, n'est-ce pas ?

— Non, cet univers existe vrai-ment. Mais pour parler à ta mère

et l'embrasser, tu dois franchir cette porte.

— Et je vais perdre les Étoiles d'Eau ?

— Exactement. Elles se trouvent derrière l'autre porte.

Des larmes emplissent les yeux de la fée.

— Oh, maman, ce que je désire le plus au monde, c'est de te retrouver. Mais la dimension magique périrait à cause de moi, et ça, c'est impossible.

Et avec un immense courage, Musa se dirige à son tour vers la deuxième porte.

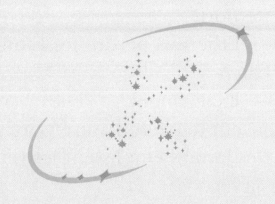

Chapitre 8

Un coffret d'or et de nuit

Icy a réussi à m'emprisonner dans un bloc de glace. C'est son jeu préféré. Les Spécialistes sont également en mauvaise posture. Excepté Ophir, ils ne peuvent plus utiliser la magie. Ils n'ont que des armes pour se battre contre les sorcières.

— Je t'accorde une faveur, Bloom. Tu peux laisser un message à tes amies. Et je leur transmettrai de ta part.

— Par exemple, elle peut dire combien elle nous aime… dit Stella.

— … quelles grandes amies nous sommes, renchérit Flora.

— … et que c'est grâce à cette amitié que nos formules de convergence sont si fortes, explique Tecna.

Les Winx sont saines et sauves, et volent à notre secours ! En un clin d'œil, elles me délivrent du bloc de glace.

Folles de rage, Icy, Stormy et Darcy tentent bien un dernier assaut. Mais toutes ensemble en Enchantix, nous sommes beaucoup plus fortes qu'elles. Bientôt, elles sont obligées de s'enfuir.

Les Spécialistes et moi entourons nos amies.

— Que s'est-il passé ? Racontez-nous !

Stella se lance dans un grand récit.

— … Enfin Tecna, Musa et moi avons l'une après l'autre choisi la deuxième porte. Arcadia nous a félicitées pour notre générosité. Et elle nous a confié les Étoiles d'Eau, rangées dans un coffret d'or et de nuit.

— Formidable ! Alors, vous avez réussi ! Mais Stella, tu n'as pas changé, tu as gardé ton visage de toujours !

— Oui, parce qu'ensuite, Arcadia a répandu sur nous sa poussière de fée, en disant que nous avions bien mérité de retrouver tout ce que nous avions accepté de sacrifier.

Un peu plus tard dans le vais-

seau spatial, Musa vient se confier à moi.

— Tu sais, Bloom, Arcadia m'a assuré que ma mère vivrait toujours en moi.

— Elle a raison.

— Là où ma mère se trouve, elle me regarde vivre, et elle est fière de moi.

— J'en suis sûre, Musa !

Nous survolons à nouveau les montagnes de la Grande Barrière. Je sais que de rudes batailles se préparent, mais peu importe. Nous possédons maintenant le moyen de vaincre

Valtor. Et tant qu'il n'aura pas été chassé de la dimension magique, rien ne nous arrêtera !

FIN

Retrouve
Bloom et ses amies pour
de nouvelles aventures bientôt
en Bibliothèque Rose !

Les as-tu tous lus ?

Retrouve toutes les histoires de tes fées préférées
dans les livres précédents…

Saison 1

1. Les pouvoirs
de Bloom

2. Bienvenue
à Magix

3. L'université
des fées

4. La voix
de la nature

5. La Tour
Nuage

6. Le Rallye
de la Rose

Saison 2

7. Les mini-fées

8. Le mariage de Brandon

9. L'étrange Avalon

10. À la poursuite du Codex

11. Sur la planète du prince Sky

12. Que la fête continue !

13. Alliance impossible

14. Le village des mini-fées

15. Le pouvoir du Charmix

16. Le royaume de Darkar

Saison 3

17. La marque de Valtor

18. Le miroir de vérité

19. La poussière de fée

20. L'arbre enchanté

21. Le sacrifice de Tecna

22. L'île aux dragons

www.bibliothequerose.com

Le site de tes héros préférés

TES SÉRIES PRÉFÉRÉES

CONCOURS

QUOI DE NEUF ?

L'ATELIER

LA BOUTIQUE

LA BIBLIOTHÈQUE ROSE

Table

Composition **Nord Compo** – Villeneuve d'Ascq

Imprimé en France par Jean-Lamour - Groupe Qualibris
Dépôt légal : octobre 2008
20.20.1607.9/02 – ISBN 978-2-01-201607-1
Loi n°49-956 du 16 juillet 1949
sur les publications destinées à la jeunesse